D1267578

JUMP COMICS
NARUTO
ナルト
巻ノ三十五
新たなる二人組!!
ラーメンスナック
FILE
岸本斉史

主な登場人物
春野サクラ
うずまきナルト
はたけカカシ

前巻までのあらすじ

木ノ葉隠れの里、忍術学校の問題児だったナルトはサスケ、サクラと共に忍者の仲間入りを果たす。中忍選抜試験の最中、大蛇丸の〝木ノ葉崩し〟が始まるが、火影の命を代償に一旦終結、五代目火影に綱手が就任した。大蛇丸の「力」を求めたサスケは、止めるナルトを戦いでねじ伏せ里を去った…。

それから二年余。修業を終えたナルトたちは「暁」のスパイと接触。大蛇丸の出現やサイの裏切りで作戦は失敗するも、大蛇丸のアジトを発見する。ナルトの思いに突き動かされ再び戻ったサイとともにサスケと対峙するが、その圧倒的な力の差の前に、また取り逃がしてしまうのだった…。

NARUTO
－ナルト－
巻ノ三十五
新たなる二人組!!

もくじ

NARUTO
-ナルト-

ナンバー
310：タイトル
NARUTO

NARUTO

NARUTO
-ナルト-

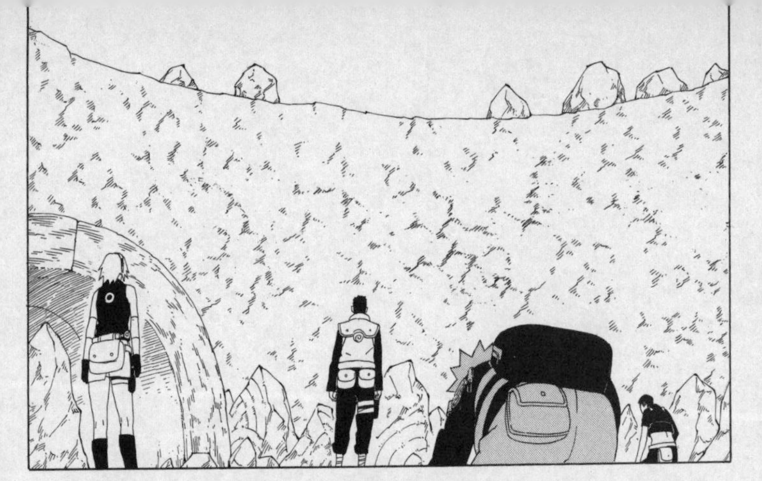

……

……

……

また……
止められなかった…

オレは……
ゴッ

弱(よ)えエ……

うっ…
うっ…
うっ…

泣いたって
サスケくんは帰って来ないでしょ!

……

………

………

私も・・いる！
私だって一緒に強くなる!!
………

時間…
あと半年近くは
あるんだよね…

!

二人より
三人の方が
いいに
決まってる
それに
ボクは結構
強いからね

……

……
…ありがと…
だってばよ…

さて…

これからだな…

火

そうか…

で…?

オレたちはあきらめねェ!

フン…

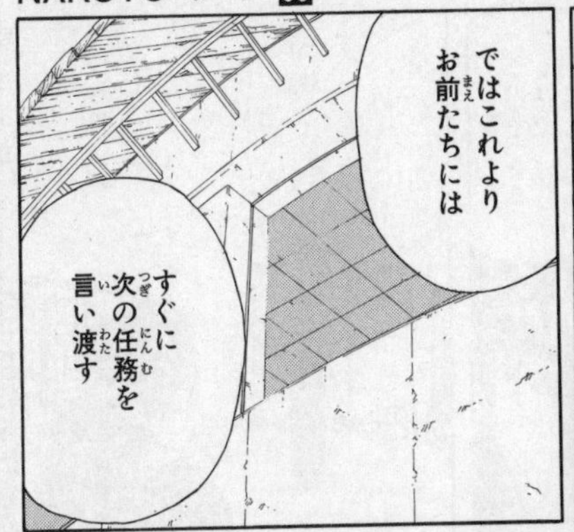
ではこれより
お前たちには
すぐに
次の任務を
言い渡す

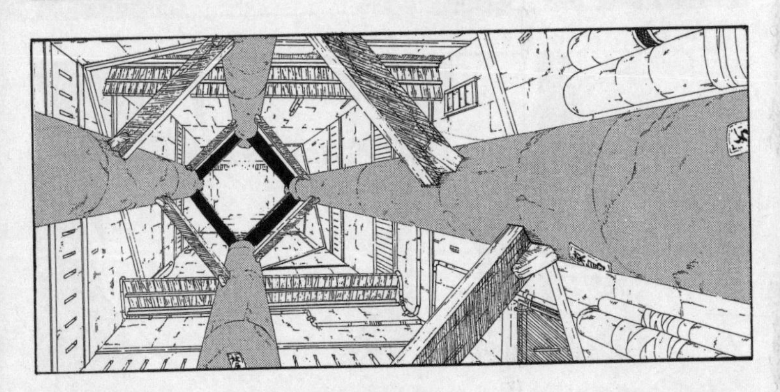

集

任務を
しくじるとは
お前らしく
ないな…

………一つお願いがございます
願いだと…?
ハイ…

この名のまましばらくカカシ班に身を置かせては頂けないでしょうか…

…!

この笑い顔は…

その話なら綱手からも受けている

しかし分かってるなサイ…
感情は憎しみを作り出す…
そして憎しみは戦いを作り出すものだ…

………

兄との憎しみっていうつながりがな…

…確かにそうかもしれませんね
でも……

あいつは…誰よりもオレの事を認めてくれた一人だ
サスケはオレの友達だから…

やっと出来た
大切なつながりだから…

仲間

お前
仲間って言葉
知ってっか?

もちろん
知ってますが…
それが何か?
仲間

仲間
ズッ

ズーッ‥

オーイ！
サーイ!!

次の任務の打ち合わせだってばよ！

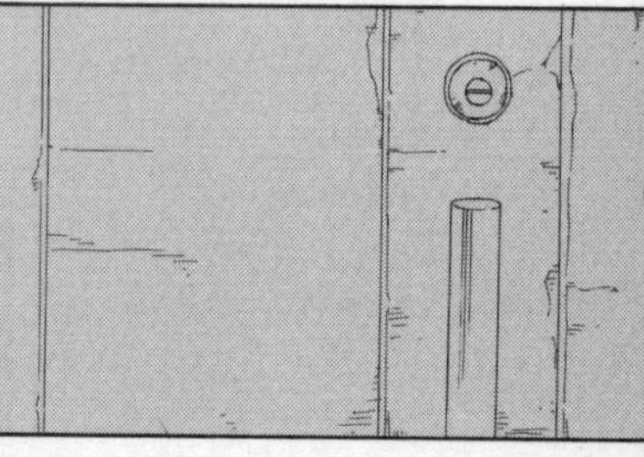

ドッ…

………

ガチャ‥

バタン

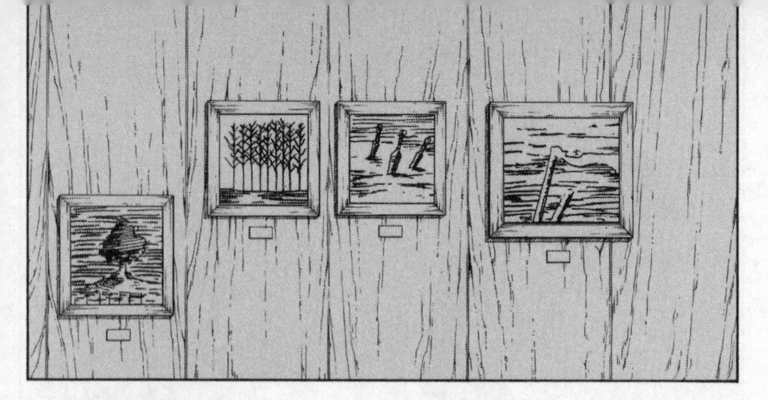

仲間

311：あだ名

木ノ葉図書館

A2

…他人にいち早く自分を理解してもらうには…
まず他人との心の距離を近づけることである………

よりよい人間関係
築き方の本
………例えば相手の呼び方
〝さん〟や〝くん〟などを付けて呼んでいては…

コミュニケーション
他人行儀でいつまでたってもその距離は縮まらない

まずは思い切って
相手の名前を
呼び捨てにしたり…
ブツ
ブツ
あだ名や愛称などを
決めて呼んでみては
どうだろう…
他人とすぐに仲よくなる方法
他人とすぐ

そうすれば
特別な存在
として…
ずっと身近に
感じてもらえる
ことが…
…なるほど…

薬物による作
劇薬とその作用
薬の調合
青キノコと太陽草
グリーンハーブとレッドハーブ

あった
あった…

!

あれ…?
サイじゃない…

画集でも探しに来たの?
!

サクラさん…

へー本とかも読むんだ…
ガガ…

まあ…少しはね

…！

……

サイも結構
人間くさいとこ
あんのね…

あ！
そう
そう…
!?

これから
私とナルトで
カカシ先生のお見舞い
行くんだけど
サイも
一緒に行かない？

カカシ…
先生…

アンタも同じ
カカシ班だし
顔合わせ
しといた方が
いいしね…

……

アマテラス

……

オレにとっては
復讐が全てだ
復讐さえ
叶えば
オレが
どうなろうが
この世がどうなろうが
知った事じゃない

大蛇丸にオレの体を
差し出す事で
それを成し得る
力を手に出来るなら

こんな命いくらでもくれてやる

……

サスケ…

ナルトー！
！

あっ…

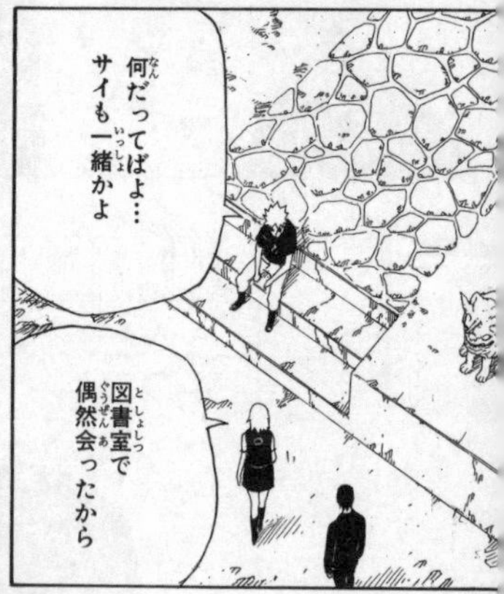
何だってばよ…
サイも一緒かよ
図書室で
偶然会ったから

何だァ…
せっかく
サクラちゃんと二人で
デートっぽく歩く
プランねってたのに
よォ――お！
そんなヒマが
あったら
忍術の勉強でも
するっての！

……
勉強ねェ…
二人っとも
よくあんな
かたっ苦しいとこ
行けるってばよ

ナルトこそ
体ばっかりじゃ
なくて
頭の方も
少しは
鍛えた方が
いいわよ

アンタ
ホントバカ
なんだからさ

やっぱり…
サクラさんも
ナルトくんの
事を呼び捨てに
……

サクラ
ちゃ～ん
そりゃ
言いすぎ
だってばよ

ナ…
ナルト
サクラ…
!

ボクも
会話に
まぜてもらって
いいかな

………
…?

…あ!
…いや
本で読んだ
んだ…
…他人と
すぐに
打ちとける方法
とか…

それで本には名前を呼び捨てにしたり
あだ名や愛称で呼べと…
そうすれば親近感が出てすぐに仲よくなれるって…

………

へへ…サイ
お前もそんなこと気にすんだな

それでさっき図書室で…

………
…うん

で…二人のあだ名とか愛称とか考えたんだけど
上手く思いつかなくて…とりあえず呼び捨てで…

…サイがそんなに真剣に私たちとの事考えてたなんて…

そんなの考えなくても自然に決まってくもんだってばよ!

愛称とかあだ名なんてその人の特徴とか言えばいいのよ
たとえばホラナルトなら…

バカナルト!とかアホナルト!とかね〜
サクラちゃ〜んそりゃとびすぎだってばよ〜〜
ザクッ

なるほど…特徴を…

あのサイが…初めて会った時とは すごい違い…

ありがとう
コツが分かったよ…
ブ・ス・

………
しゃーんなろー!!
ぐわァっ!
サイ!そりゃ・・・ぶっとびすぎ・・・だってばよっ!!
……え?何がです?

木ノ葉病院
そうか…君が新しいチームのメンバーの……
サイだっけ…
よろしくね

…はい

ちょいサクラこっちこっち…
?

あの二人ケガしてるけど…ケンカでもしたの?
ケンカっ早い…ナルトのことだから想像はつくけど…
イチャイチャタクティクス

い…いえ
別に何も…
みんな仲いいですよ！
あ…そうなの…それならいいんだけどね
………
？
アハハハ………

この人が〝根〟でも噂されたあのはたけカカシ…
…ボクの事も調べ上げてるに違いない

………

ナルト…

うん…

………
カカシ先生…
オレたち今回の任務で……

ヤマトから
全部聞いたよ
サスケの事も
な…

……

……

……

もう時間がねーんだってばよ……
このままじゃ…もう少しであいつ…

それに今の力じゃサスケを連れ戻す力が足りねェ…
サスケは強くなりすぎてる
……

ま…
だったら…
それ以上に強くなればいいだけだろ
イチャイチャタクティクス

…!

私の目から見てもサスケくんの成長スピードは
尋常じゃなかった…

綱手様に聞いたら…
修業に禁術や薬物投与を用いてる可能性もあるって…
あっちにはあのカブトもいるから…

人体実験をしてるような奴らの考えを
こんな本じゃ調べようもないだろうけど…
薬物による作用

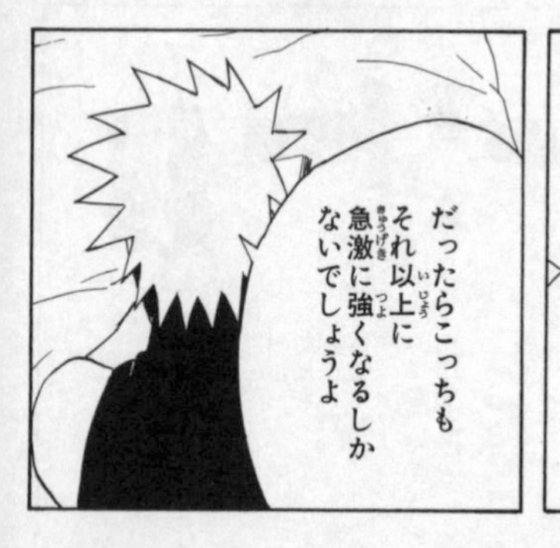
だったらこっちもそれ以上に急激に強くなるしかないでしょうよ

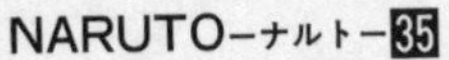

でも
どうやって？

オレが
ただ何も考えずに
寝てるだけだと
思った？
ずっと
考えてたんだよ
…
で…
思いついた
イチャイチャ
タクティクス
イチャ

ただし
この方法は
ナルトに向いてる…
と…いうより
ナルトにしか
出来ないやり方だけどね

………
ドサ…

その修業で
ナルト…
お前はある意味では
オレを超えるかも
しれないな

312：忍び寄る脅威!!

…カカシ先生を超える…?

そうだ

………

………

この修業ではオレがつきっきりになる
で 今までとはかなり違った修業になる…

………
ど…どんな事するんだってばよ…?

お前だけの最強の忍術を作る

つまり
螺旋丸を超える
新しい忍術を
身に付けてもらう
ただし
それなりの力を
手に入れるには
それに見合った
膨大な時間と
努力がいる

小説の主人公みたく
数日でポンポン強く
なれるわけもない
それに
螺旋丸の様に
すでに出来あが
ってる術を
丁寧に教えて
もらいながら
会得するのとも
わけが違う

…膨大な時間
って…
さっきも
言ったけど
もう時間がねーん
だってばよ！
サスケはもう…

だからそれを
短期間でする方法を
思いついたのさ

…！
ど…
どうやって
…？
それはな…

ガラッ…
アスマ先生ノックくらいしなさいってば！
こんにちは
体調はどうだカカシ

ゾロゾロ

何だ
ナルトとサクラじゃねーか
任務はもう…

！

お前はあん時の……

！
あ！

？

どうも

報告…
ご苦労だったな
では
私はこれにて

ド
景

"暁"の行動が
いよいよ本格化して
きましたね
奴らがまた
木ノ葉周辺を
にぎわす様に
なるのも時間の
問題ですね

…確かに
大きな危機ではあるが
それは奴らをたたく
チャンスでもある

いよいよ
ちんたらして
られないな

……

医

な〜んだ
そういう事
だったんだ

サイって
言います
どうか
呼び捨てにして
下さい

へー…
なんか結構
カッコイイじゃ
なーい…
少し
サスケくん似
だしー

見た目はね
中身はだいぶ
違うから
空気
読めないし

ドッ

サスケの事は
綱手様から
聞いた
今度はオレも
何かあったら
協力するぜ
めんどくせー
中忍試験も
終わったしな

……

ああ…

……

お前ら先に
〝焼肉Q〟へ
行っといてくれ
良かったら
カカシ班のみんなも
一緒に行くといい

イエーーイ!!
ヤキニクー!!
賛成
ーー!
サイくんの
隣に座る
ーー!

オレはカカシと
二人でちょっと
話がある
焼肉はオレの
おごりで
いいからな

…って
ちょい待ち!!
あのさ!あのさ!
カカシ先生
修業の話の続きは
どうなんだってばよ!?

…そうだな
…んー…
ま!
また あとでな

えーーー!
すっげー
気になるってば
よ!

焼肉Q

ジュウウ…
ジュウー
アレ？
シカマルは？

親父さんと
薬用の角を取りに
行かないとならないから
帰るってさ

ふぅーん
いつも
任務の打ち上げ
には必ず
出てたのに…
珍しい
わねー…

よーし！
シカマルの分も
食べるぞー!!
ズッ

ってチョウジ！
食べる前に
サイくんに私たちの
自己紹介しないとさーあ
ああ
そうだねェ…

…どうも…
早く打ちとけるには
初めが―肝心―だからな
あだ名や愛称を
すぐに決めなきゃ…

えっと ボクは
秋道一族の
秋道チョウジ
よろしく
えっと
サイだっけ

よろしく…
えっと…
特徴…
特徴…

……!
まさか…

……!
もしかして
あの
禁句を!

…デ…

ピクッ

ドッ
！

サイ！チョウジの前じゃ〝デブ〟ってのはぜってー禁句だ
分かったな！
？
グイ

今…何か言いかけた？
アハハ…いや何も…
あだ名ってのは難しいな…

私は山中花店の娘で山中いのって言います
よろしくー！

女の人の場合は特徴をそのまま言えば怒らせることになる…
つまりその逆を言えばそうはならないってことだから

よろしく…えっと…

美人さん
ゾクッ
！

何でいのん時はそうなんのよー！
しゃーんなろー!!
うぐっ！
ハア
ハア

ザブーン
ぐっ…
ザザザ

よーく
よけるねェ
アンタ

んー…
オレの攻撃スピードは
〝暁〟一のろまで
ヘタだから
当たりゃー
しねーよ
ホント

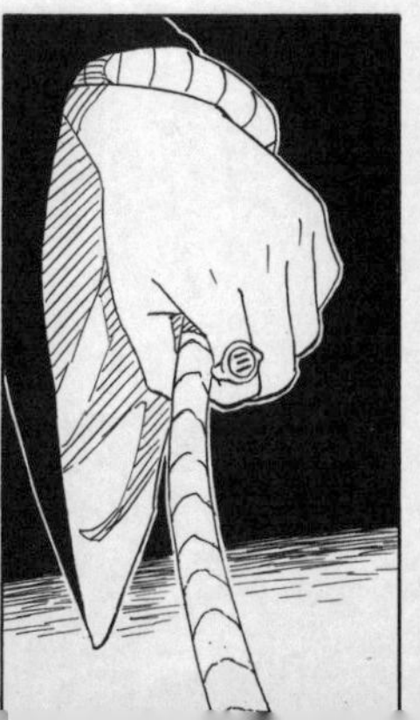

そうか…
やはりお前らが
〝暁〟か…

あとは
お前だけだ

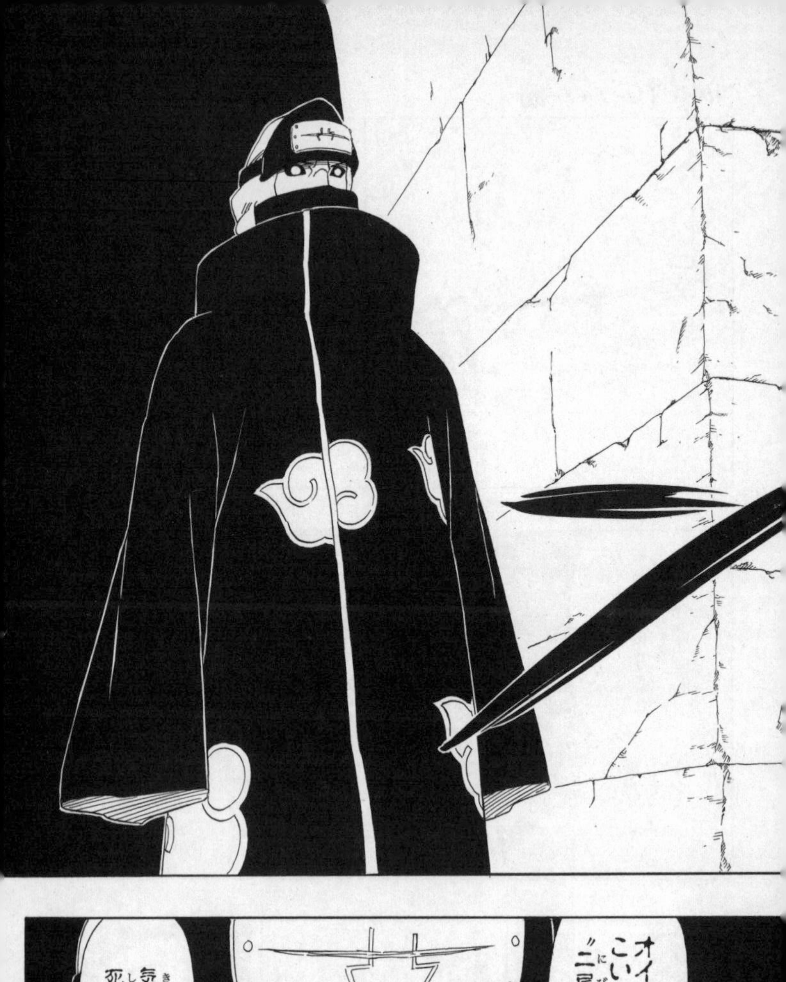

オイ飛段
こいつは
〝二尾〟の人柱力だ
気を抜くな
死ぬぞ

いやー やる方だよ アンタさ
それを オレに言うか 角都よ
どうせなら 殺してほしーよ ホント

NARUTO -ナルト- オリキャラ優秀作発表その①

(東京都　古井雅也さん)

○やたら形見を持っているキャラクターが、ドラマを語りそうでいいです。剣を少しだけ曲げられるのも、何か弱そうで強い気が…。

(茨城県　ゼコさん)

○小物のデザインも細かく決まっていて、小さなところにまで丁寧にデザインしてあったのがよかったです。

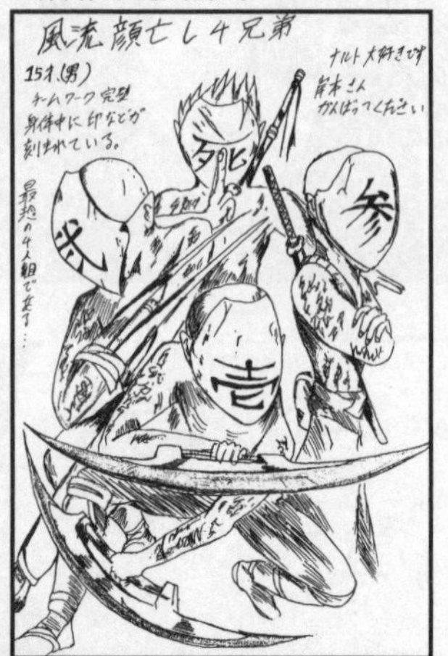

(神奈川県　イシケンさん)

○むちゃくちゃカッコイイです！　デザインのセンスは最高です！　こういうの大好きです。

(徳島県　さくここさん)

○クジラっていうアイデアが楽しい！　色使いもすごくキレイで、髪型のデザインもクジラ族らしいデザインでよいです。

313：新たなる二人組!!

やるぞ

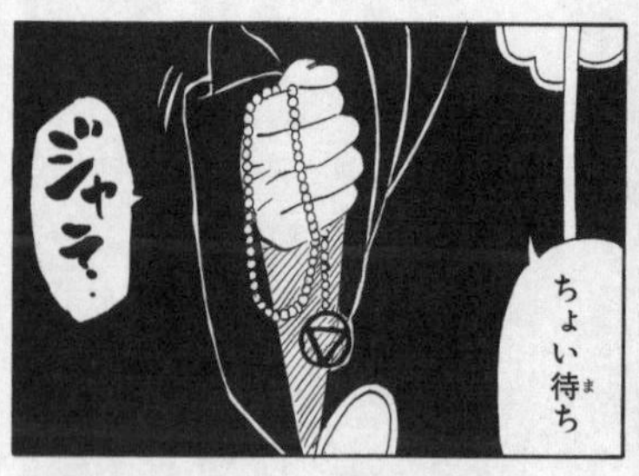
ちょい待ち
ジャラ…

アレ
やる前には
ちゃんと
神に祈りを
捧げねーとな

……

いつもいつも
面倒くさい奴だ

オレだって
めんどくせー
けど
戒律厳しーんだから
しょうがねーだろ!
……

フッ…
アンタら 私を
追い込んだつもり
だろうが
そうじゃ
ない

私がアンタらを
誘い込んだのさ!

ボンボンボン
ザラザラ…
………
……
………
アンタらが"暁"と分かった以上
逃がす訳にはいかない

あーあ…ふさがれちまったぜ角都
問題無い…むしろ好都合

雲隠れの
二位ユギトの
名にかけて
殺す!!

ハア…?
何?その
殺す!とかさ
何かそういう
意気込みみたいなの
ぶつけられるとさ…
イラッと
くんだよね

で…
イラッとくると
頭に血が昇る
頭に血が昇る
と…
うるさい
黙れ 飛段

はいはい
でもよー
頭に血が昇ると
"もう目的なんてどーでも
いいや ぶっ壊しちまおう"
って気になんだよ

いい加減に
しろ 飛段
目的は
絶対だ

大体今回の仕事はオレの宗派にゃ合わねーんだよ
ジャシン教は殺戮がモットー
半殺しは駄目だと戒律で決まってる

戒律破るような仕事…
端からやる気にゃならねーぜホント

オレはこう見えても信心深いんだぜ！
…という訳で…
殺せねーのはめんどくせーから…

ここは話し合いで解決しないか？

話し合いだと…
何だこいつ…

………

大人しく捕まってくんねーかな…

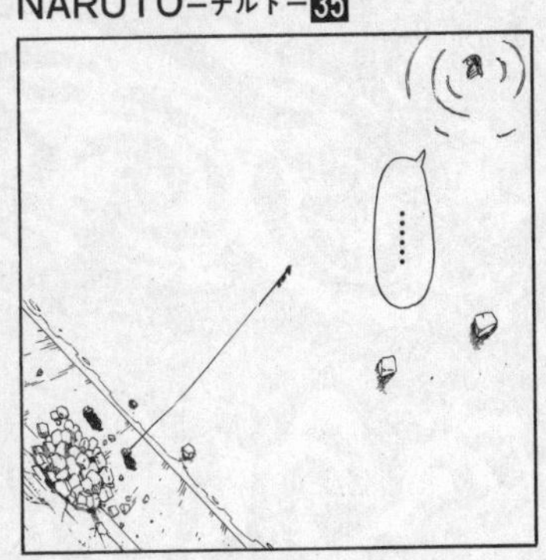
……

ふざけるな!!
アレ…?
ダメみたいだな
お前は馬鹿か

パシィ
何だ
この"人柱力"
完全に
尾獣化して
やがるぜ
ズバ

あーあァ…
ヤベ！
ザッ

ドコ

熱ちーー！
こいつ猫舌じゃあねーのかよ
ゴゴゴゴ

こいつが
生霊と言われる
"二尾"の化け猫か…
オレはまさしく
袋のネズミって
わけだな
クク…
笑えねぇ…
医
話って何だ？
実はな…
コン
コン

いたいた

何だ
紅か…
何か用か?
ここにアスマが
来てるって
聞いてね

……

ふ〜ん…
で アスマ
話ってのは?

……
いや
また今度
ゆっくり話す
悪いな

……

すごい
気になるな…

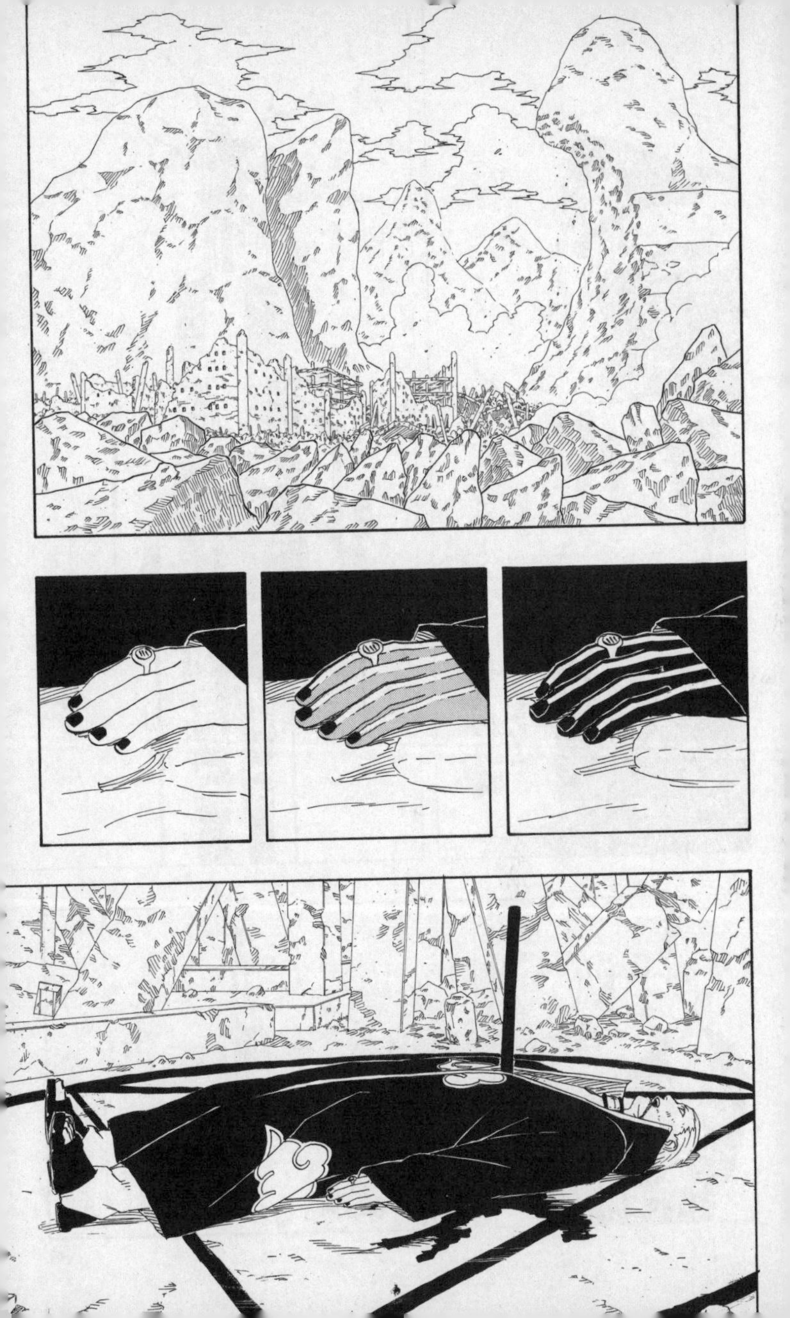

ピクッ

三十分も経ってるぞ
…まだか　飛段

ザバ
うるせーよ！
儀式の邪魔すんな!!

ドボッ
痛って…

毎度毎度の
その悪趣味な
祈り
少しは省略
出来んのか?
さっさと
次へ行くぞ
オレだって
めんどくせーけど
戒律なんだから
しょーがねーだろ

それに
省略って何だ
省略って!
神への
冒瀆だぞ!!

………

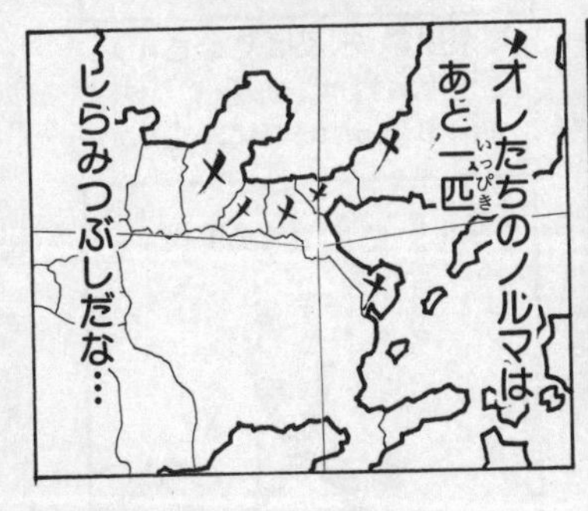
オレたちのノルマは
あと一匹
しらみつぶしだな…

次は火の国だ

NARUTO -ナルト- オリキャラ優秀作発表その②

(秋田県 石川毅さん)

○設定にかなりのドラマがありそうで、奥深いキャラになりそうです。デザインもイイよ。

胡蝶蘭 15才
内気で暗め。ナルト達と同期。
技：漆黒包…敵の周りなど一ヶ所をまっ暗にする。
怪力
蝶をあやつれる。
9月14日生 A型

(神奈川県 水夜ほたるさん)

○名前通り、蝶をあやつるんですね。かなりかわいいキャラになっているので選びました。

(埼玉県 石花海さん)

○口癖のあるキャラは性格がハッキリ出やすくて、個人的に好きです。水鏡のデザインもいい感じです。

(岡山県 ブタゾーさん)

○こいつ見た目が怪しすぎるぞ! ゴミの方がさらに怪しすぎてキャラ立ってるし! ナンセンスだけど、いいセンスで決定!

NUMBER 314：〃暁〃侵攻…!!

!

!

ドウヤラ
済ンダヨウダナ
長ッタラシイ
儀式モオワッタカ
ズズッ…

どいつも
こいつも
うるせーヤローだ
祈りを知らねー
無神論者どもが

悲しい時は
身一つ
信ジラレルノハ
己ダケダ

いや
違うな
信じられるのは
金だけだ

あー出た
それ!
お前の
バイトのせいで
〝人柱力〟探しが
遅れてんだぜ
大体よー

宗教は金になると
言ってきたから
お前と組んだんだ
〝暁〟のサイフ役を
任されてる
オレの身にもなれ

お金は
大切だよね
ソンナコトヨリ
スグニ次ヲ
探索シロ
〝二尾〟ハ
オレガ預カル

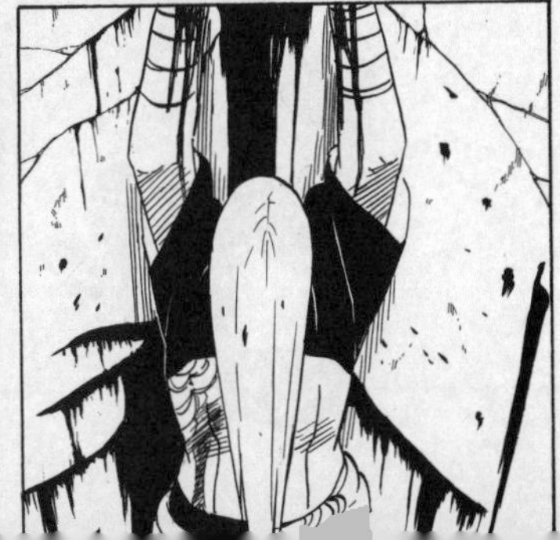

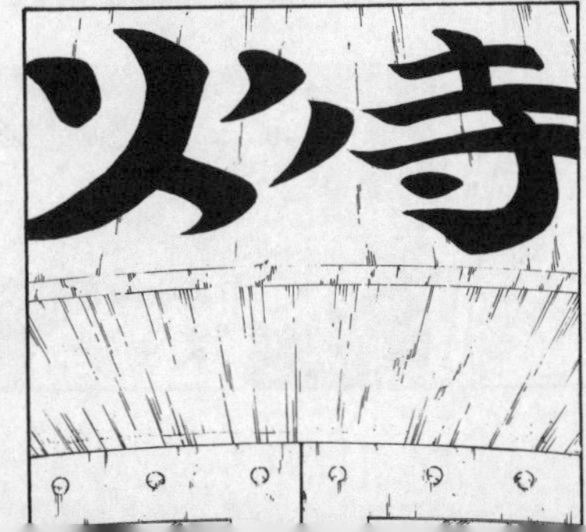

寺じゃねーかよ…
こんなとこにいんのか？
さあな…
だがただの寺ではないからな
可能性は高い
ズズッ…
ゴゴゴ

何事だ？
〝封印鉄壁〟を破った者がおる！
地陸様に報告しろ！

ジャシン教には改宗してくれそーにねーツラしてんなどいつもこいつも
ザッ

あの衣…今噂の…
間違いない〝暁〟だ

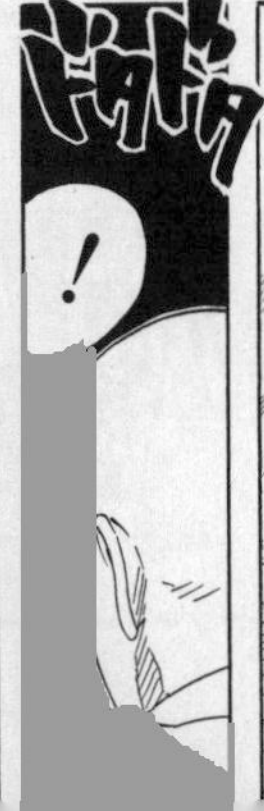
ドタドタ
！

侵入者です！
何者だ？
スッ

〝暁〟の手の者でございます！

……
いつかは来ると思っていたが…

ワシが出る
他の者は援護しろ

！

また徳の高そーなのが出て来たぜぇ…
徳だけではないこちら側の手配書では三千万両の賞金首だ

オイ…金儲けが狙いじゃねーだろうな？
そんなのでボウズを殺ると地獄へ落ちるぜ

地獄の沙汰も金次第だ
望むところ

貴殿ら何用かは知らぬが大人しく帰られよ！
無益な殺生はしねーってか
だがこっちの宗派じゃそうはいかねェ
火の国に〝火ノ寺〟ありと謳われた忍寺だ
僧侶は皆〝仙族の才〟と呼ばれる特別な力を操るといわれる

特にあの三千万両は
火の国の大名を守る
〝守護忍十二士〟に
選ばれた事もある
エリート忍者だ
守護忍
十二士？
へー
そんなに
スゲーの？
あの火の国の
紋の入った
腰布がその証…
気を抜くな
死ぬぞ
だからオレに
それを言うかよ
角都！

さーて修業だ
へへへ

何だ？
いやさ…いやさ…何かカカシ先生との修業って久し振りで…

何でか分かんねーけど嬉しーんだってばよ…

………
ニコ…

笑ってられんのも今のうちだぞ
ハハハ

時間は待っちゃくれないからな

病院でも言ったが
今回の修業の目的はお前だけの最強忍術を作ることにある
螺旋丸を超える術だ

……

それにはチャクラの〝性質変化〟と
〝形態変化〟の二つのテクニックが不可欠だ

ケータイヘンカとセーシツ…ヘンカ…？

そうだ…例えば千鳥…
チャクラを電流のように〝性質変化〟し
放電するように〝形態変化〟させて
攻撃の威力と範囲を決めてる

その意味で螺旋丸は千鳥とは少し違って〝形態変化〟だけを極めた術と言える

チャクラを超スピードで乱回転させて圧縮する術だから
〝性質変化〟は必要としないわけだ

んーセイシツヘンカねェー…

螺旋丸以上の術を習得するには〝性質変化〟は絶対に必要になってくる

なるほど！よっしゃセーシツヘンカか！
あんまり分かってないようだけど…どっちみち体で覚えるタイプだからいいか…
ポン

けどそのテクニックを会得するには膨大な時間がかかる
さっきはその時間を大幅に短縮する方法を説明するつもりだったんだよ

なるほど……
で…その短縮方法ってのは？

あまり引っ張ってもアレだからな
その方法は…

火影

…今ならアンタの言ってた事も少し分かる気がするよ

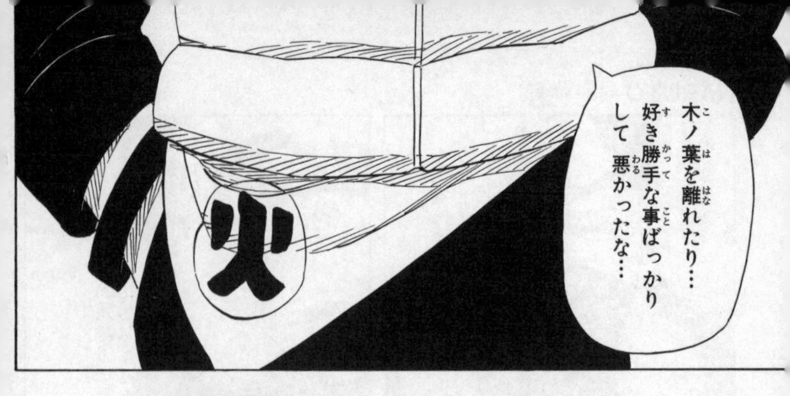
木ノ葉を離れたり…
好き勝手な事ばっかり
して 悪かったな…

後悔はしてねー
けどな

………

…今は猿飛一族に
生まれたのも悪くねー
と思えるぜ
火影

アンタは
ちゃんと
里長としての
役目を果たした
スッ

かっこいい父親(オヤジ)だったよ…

どうやらここには"人柱力"はいなかったみてーだな
祈りが終わり次第次へ行こうぜ

いや…

?

ザッ
こいつの死体を換金所に持って行く
まずは金だ

あのさァ…
オレお前に一回キレていいかなホント

木ノ葉へ知らせなければ…

ズッ

火の国は広い…
じっくりいくぞ
やっぱ色々と
出遅れてんのは
てめーのせいだろ
コラ!
痛って!!

NARUTO ‐ナルト‐ オリキャラ優秀作発表その③

七味
MIZUAME
SHICHIMI
男まさりで、布の多い衣服を極端に嫌う。
みたらしあんこの同期。
(◎マークも入れ)
七つの水あめにチャクラを練り込みあやつる。
水あめが好物で、歯医者に止められているが、
チャクラで歯をコーティングして食べる程大好き。

(大阪府 サクラサクさん)

○水あめって懐しいです。甘いもの好きキャラってけっこう多いけど、水あめってのがナイスチョイス!

(名)運寄 あみだ(女)
(年齢)14
「あみだくじ」で相手が幸運になるようにアドバイスするのが仕事
①客の悩みを聞く
②巻物に線がでてくる
(毎回本数が変わる)
③一つ選ばせる
④たどった先のところだけ文字がでてくる
⑤書いてあることを実行すると97%の確率で幸せになれます。
1回300両
ネジに恋しているらしい
近くにネジがいるとドキドキして商売が失敗してしまうこともしばしば…
自分のことになるとアミダは使わない
「自分の幸せは自分でつかむ」が忍道だから!!

(静岡県 古木禎人さん)

○アミダクジの能力があるのに、自分の幸せは自分の力で掴むってのがいいね!

雲風 ふうこ
丸っこいズボンが特徴!!
得意技
風船爆弾
元気いっぱいの女の子です!!
水泳が得意で肺活量がとってもすごい。

(広島県 キッコロさん)

○ふうせんキャラですね! おもしろいアイテムですな! 能力やキャラに、色々なアイデアが浮かんでくるっス!

風香
ふうこう
着物や、服を、キレイに
ぬってくれる女の子、

(兵庫県 とらぢ(25才)さん)

○木ノ葉のおしゃれさんです。絵もカワイイし、真顔だし、名前もいいし、で選びました。

315：特別な修業!!
多重影分身だ

え？

いや だから
多重影分身なんだよ
実は
は？
何が？

だから 修業期間を
短縮する方法だよ

………

多重影分身て
どういう
こと？

ま…
そうなるわな
じゃ…
これから
説明するけど
ちゃんと
聞けよ

なるべく簡単に
お願いするっス！
はいはい

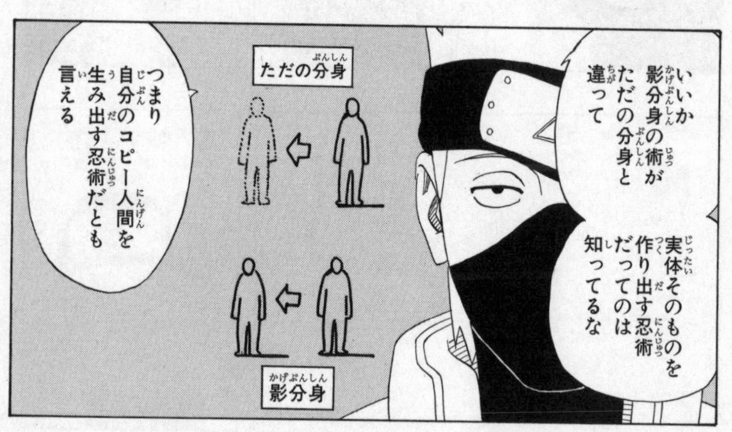
いいか
影分身の術が
ただの分身と
違って
実体そのものを
作り出す忍術
だってのは
知ってるな
ただの分身
影分身
つまり
自分のコピー人間を
生み出す忍術だとも
言える

オレもお前ほどじゃないが
影分身の術を使えるから
分かるんだが…
この術には
術者に及ぼす
ある特別な効果がある

お前も
いつも使ってるから
気付いているとは
思うが…
なに？

影分身の分身体が経験したコトは
術が解け術者であるオリジナル一人に戻った時
その術者の経験として蓄積される

……

簡単にって言ったじゃん

やっぱ気付いてなかったのね
つつーか言ってる意味も全く分かんねーってばよ

ん—…
なら二人でとにかく影分身をやってみるぞ

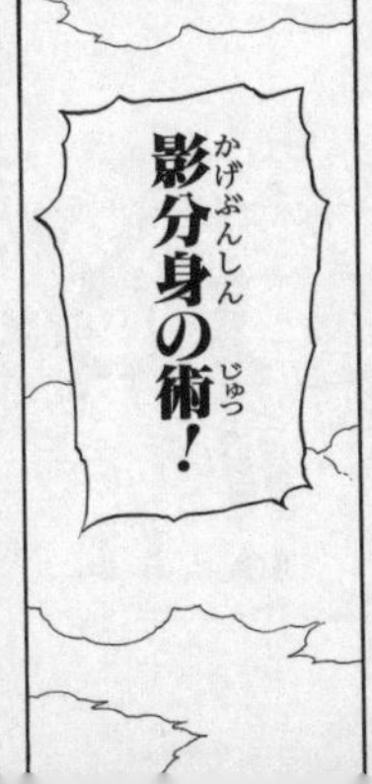
影分身の術！

ボッ

フワッ…

よし！
じゃあオリジナル側と
影分身側の
二組に分かれて…
タッ

影分身の組は
向こうの林の中に
隠れる
影分身の方の
ナルトは
ついて来い

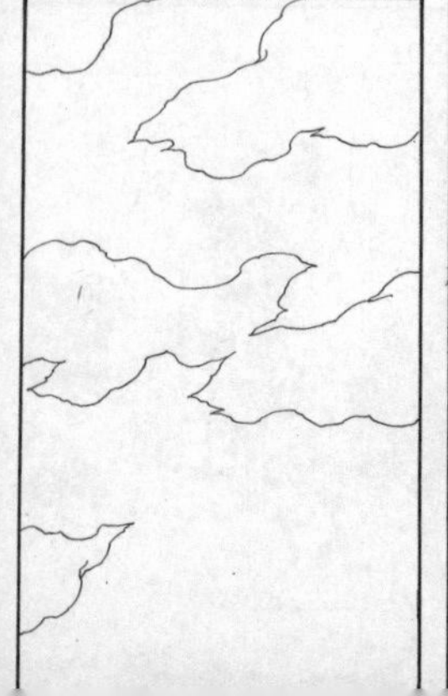

林の中のオレたち影分身組の姿は
オリジナルの方からは見えない

オレたちの方だけジャンケンをするぞ
何で？
いいからホラ

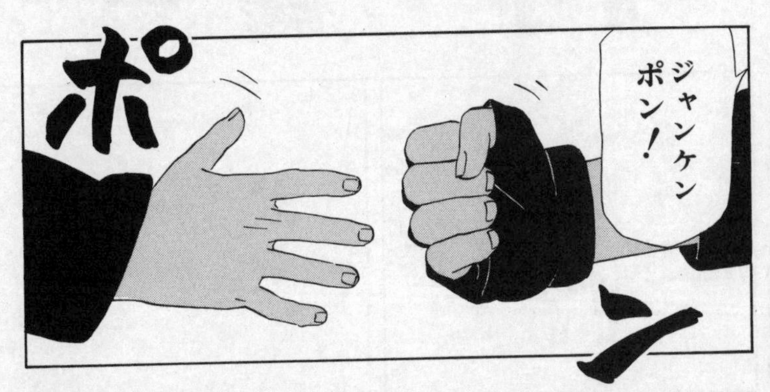
ジャンケンポン！
ポン

……

影分身の方は何してんだってばよ？

もうすぐ何をしてたか分かる

やり――
勝った！
じゃあ
オレたち 影分身組は
術を解いて消えるぞ

オッス

ボン
ボン

ピクン

どうだ？
影分身が
何をしてたか
分かっただろ？

ジャンケンして
オレが勝った

これで
分かっただろ
影分身の経験値は
オリジナルの中に
蓄積されていく

なるほど…
今まで何となく
影分身してたから
気がつかなかった
ってばよ

本来この術は
危険な場所への
偵察や
敵アジトに潜入して
情報収集に使う術
でもあるからな

………
でも
それが分かった
からって
修業期間の短縮と
どう関係があるん
だってばよ?

はいはい
これから説明
するって
自来也様
螺旋丸なんて術
よくこの子に
教え込めた
もんだよ
…まったく

早く！早く！

…つまり影分身を使って同じ修業を二人で行えば経験値は単純に二倍って事になるだろ

うん！うん！

言い換えれば
二人でやれば一人で修業する時にかかる時間を半分に短縮できるって事でもある

三人なら三分の一

千人なら千分の一だ

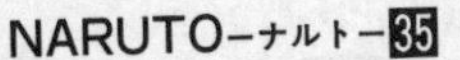

そっか…

つまり一人で二日かかる修業は二人なら一日で出来てしまうし

一人で二十年かかる修業でも
千人なら約一週間でいい

おお——!!
そんな手があったのかァ!

………
これから習得するチャクラの〝性質変化〟の修業は
常に多重影分身を使って行なう
オッス!

カカシ先生が強い理由が分かったってばよ！
このやり方でいっつも修業してたんだな

いや
オレは一度もこんなやり方で修業したことはない

え！何で？
だってカカシ先生も影分身できるじゃん

確かにな……
だが オレはお前ほどチャクラを多く持っていないし
影分身の持続時間も短い

なんせチャクラを均等に分散してしまう術だけに
チャクラの少ないオレには不向きな術だからな

…そうなの？
オレってばカカシ先生よりチャクラ量多いの？

オレの
約四倍だ

え!?
そんなに!
オレってばけっこー
スゲーんだな!

"九尾"のチャクラを
ヤマトが
抑えなければ…
百倍だ

!

だから
君にしか出来ない
修業方法なんだよ
ナルト
ザッ

!

ヤマト隊長

この修業はボクも協力するようカカシさんに頼まれたんだ
"九尾"のチャクラをコントロールするにはボクも必要だからね

……

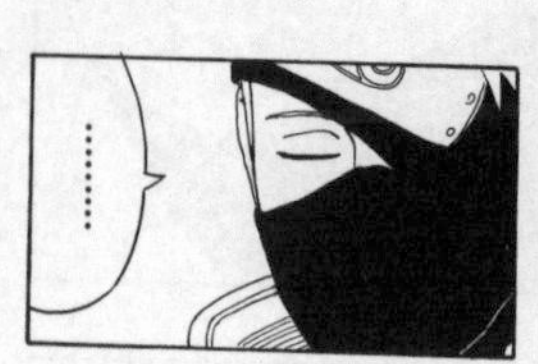
……

頼むってばよ!

よし…次はチャクラの"性質変化"についての説明だな

オッス!!

いいか
基本的にチャクラの
"性質変化"の種別は
五種類しかない

五種類…
たった
それだけ？

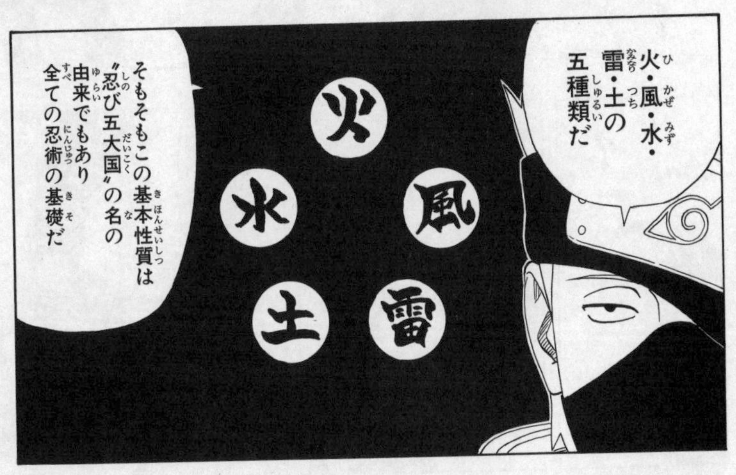
火・風・水・
雷・土の
五種類だ
火
風
水
雷
土
そもそもこの基本性質は
"忍び五大国"の名の
由来でもあり
全ての忍術の基礎だ

へー…
そうだったのか…

大体 皆
どれかの性質に
あてはまるチャクラを
持ってる
例えば
うちは一族なら
"火"の性質を
持つ一族で
火遁の術を
得意として
いる

"風"なら風遁
"雷"なら雷遁
例えば"千鳥"は雷遁の術の一種だ

ってことは…
サスケは"火"と"雷"の二つの性質を持ってるってことか…

…でお前は0
しかもどの"性質変化"が得意なタイプなのかもまだ分からない

ズッ

?

ピッ
それをこの紙切れで調べる

どうやって?

……

クシャッ

?

〝雷〟の性質なら紙にシワが入る

〝風〟なら紙が切れる
〝火〟なら紙が燃える
〝水〟なら紙が濡れる
〝土〟なら紙が崩れる

これはチャクラに反応しやすい感応紙で
チャクラを吸って育つ特別な木から作られる
ドン
この紙に自分のチャクラを流し込めば自分がどの性質かがすぐ分かるようになってる

スッ

……
よーし…

スッ

ハッ!

……
お!

…！

さて
じゃ始めるか
〝風〟の〝性質変化〟の
修業だ

NARUTO -ナルト- オリキャラ優秀作発表その④

(宮城県 三上陽さん)

○デザインがなにやら怪しくて気に入りました。血の化け物も少しカワイイし…。

(神奈川県 空木鼠羅さん)

○このキャラの情報が全部"…らしい"っていうのが、どうも怪しいです。が、そこが気に入った(…らしい)。

名前は「ハリュウ」です。
・針治療で相手のつかれを取ったり、傷の痛みを和らげたり、チャクラの流れを良くしたりできる。
医療忍者
長針で戦うことも…
かんざしみたいな針でブスプス刺します。
性格・おとなしめ。木の葉の中忍

(宮城県「K」さん)

○針治療って気持ちいいらしいですね。こんなカワイイキャラにブスブス刺されて癒されるなら、ジライヤはハマるでしょう。

(千葉県 めかぶさん)

○ガムの能力はかなり面白い! よく考えましたな。色々なアイデアが浮かぶし、この能力はマジでいい!

316：修業、始め!!

お前のチャクラの
性質は〝風〟だ

風……

あらゆるものを
斬り裂き断ち切る
戦闘力抜群の
チャクラだ

おお…
おぉー！
オレってば
スゲー!!
いや
まだまだ
分かっただけ
だから

そうそう
これから修業
して
その性質を
キチンと
扱えるように
なってから…
…ん？

……

あのさ!
あのさ!
じゃあ
ヤマト隊長の
"木遁"は どの
"性質変化"になんの?

何?

……

ドン…

バッ
バッ

ドドドッ
土遁・土流城壁!!

うわ!
何!?

バッ

水遁・滝壺の術!!
ドッ

ドドドドドド…
た…
滝が出来た!

ボクは"土"と"水"の
二つの"性質変化"を
持ってるんだよ…
ナルト
タッ

え!
ヤマト隊長も
二つ持ってんの!?

上忍クラスになると
皆 大体
二つ以上は
持ってる
オレも"雷"以外も
扱えるしな

じゃあ
ヤマト隊長は
"木遁"を含めて
三つも持ってんの
か!?

いや
そうじゃ
ないんだ
これが
?

ボクは"土"と"水"の二つしか使えない
そもそも"木"なんていう基本性質はないんだよ

じゃあどうやって?

同時に・・・やるんだ
"土"と"水"の二つの"性質変化"を同時に行ない
"木"の"性質変化"を新たに発生させる

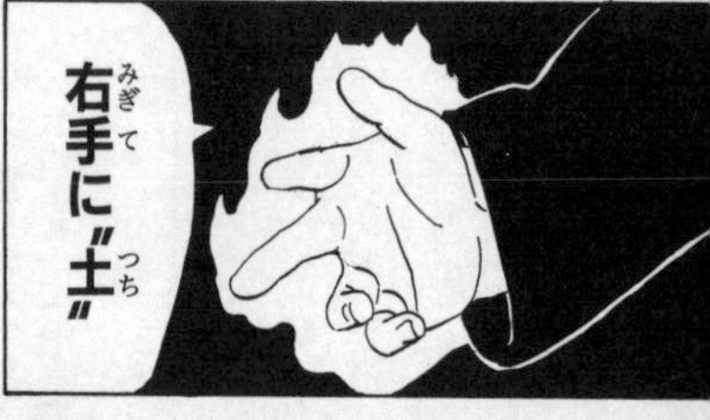
右手に"土"

左手に"水"

ズズ…
ズズ…

ドゴゴゴ……

すげー…

二つの〝性質変化〟を持ってる場合
それぞれそれを独立して使うのは大して難しくない
ドドドドドド
バッ

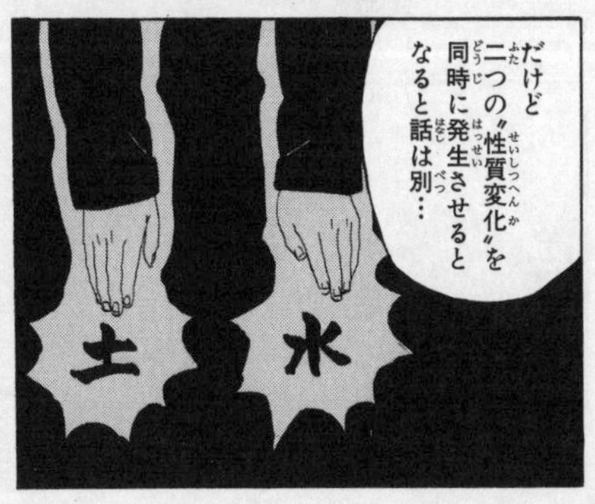
だけど二つの〝性質変化〟を同時に発生させるとなると話は別…
水
土

二つの〝性質変化〟を同時に扱い
新たな〝性質変化〟を生み出す力を…

〝血継限界〟って言うんだよ
その言い方ぐらいは聞いたことあるだろ?

うん…

かつて戦った白という少年もそうだ
彼は〝氷遁〟という〝血継限界〟を使えたんだが

彼は〝風〟と〝水〟の二つの〝性質変化〟を同時に用いて〝氷〟を発生させた
あれは〝血継限界〟を持つ一族だから出来る特別な術だ

あの白も…

だからオレの〝写輪眼〟でもコピー出来なかったんだ

………

そろそろ修業内容の説明を…
じゃあシカマルの〝影真似〟とかチョージの〝倍化の術〟はどうなんの？

………

それに医療忍術や幻術とかはどうなってんの？

んーその説明にはまた時間がかかるし
一度に話すと混乱するからな…

〝陰〟と〝陽〟の〝性質変化〟についてはまた今度にしたらどうです…カカシ先輩
それより修業を

……
そうだな

?

よし！修業を始めるぞ
まずはチャクラの〝性質変化〟がより強くなるように訓練する

何すんの？

木ノ葉を手の平に挟んでチャクラだけで切る修業だ
真っ二つになるまでな

よーしィ！やるぞォー！

さっきも言ったが
この修業は常に
影分身でやってもらう
何人くらいに
分身すれば
いいの?

んー
…ま
一人
木ノ葉一枚と
して…
クイ

これぐらいかな

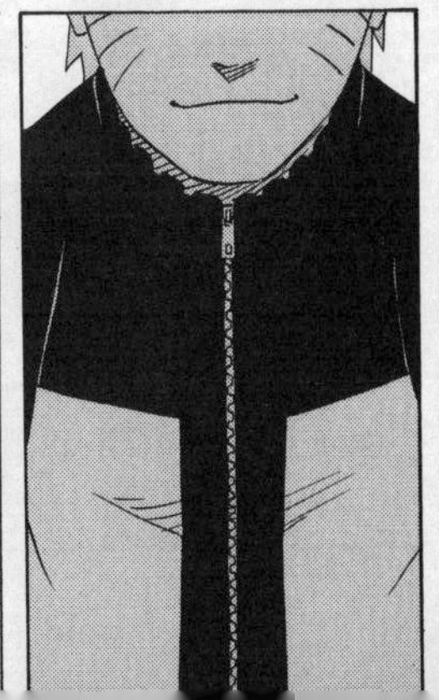

スッ
影分身の術!!

パチン

珍しいっスね
いきなり〝棒銀〟なんて
じっくりやろうぜ
時間もあんだし
パチン

敵陣突破の先兵だ
たまにゃこういう指し方も出来ないとな

そういう指し方嫌いじゃなかったっスか？
オレと同じで…

上手相手に〝玉〟を守る為には
犠牲もやむなしってやつだ

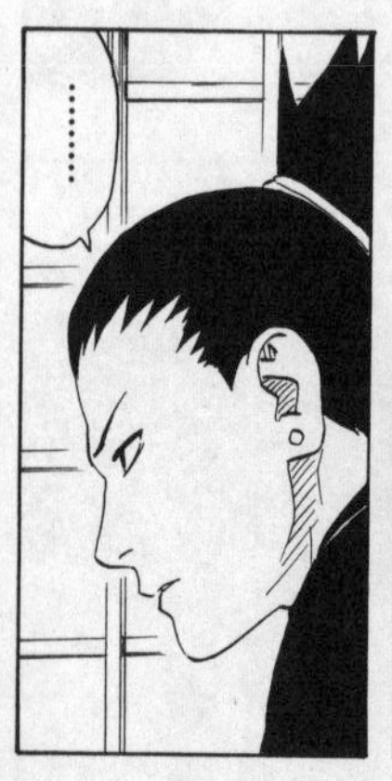
………

何かあったんスか？

別に…何もないよ
ただ今頃になって〝玉〟の大切さが分かってきたのさ

そりゃ〝玉〟取られたら終わりっスからね…
将棋は

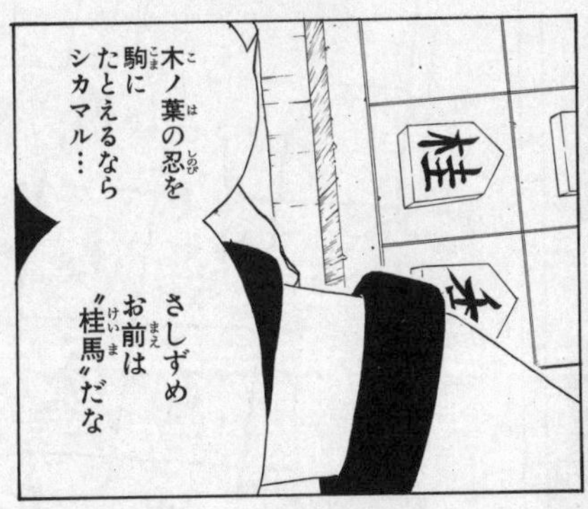
木ノ葉の忍を駒にたとえるならシカマル…
さしずめお前は〝桂馬〟だな

………
何で？
力は弱いが駒を跳び越して進むことが出来る…このユニークな動きは
型にはまらないお前の柔軟な思考に似てる

……

じゃあ先生は？

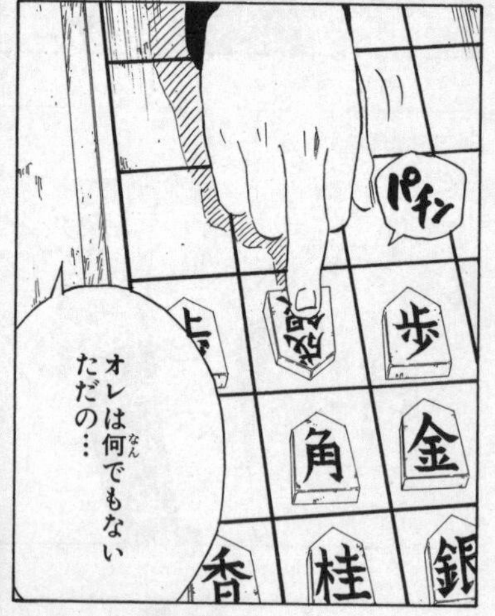
パチン
オレは何でもないただの…

犠牲駒…ってか…
パチン

なら…
〝玉〟は誰だか分かるか？

……
火影だろ？

…オレもこの前まではそう思ってた
けどそうじゃなかった…

じゃ誰なんスか？

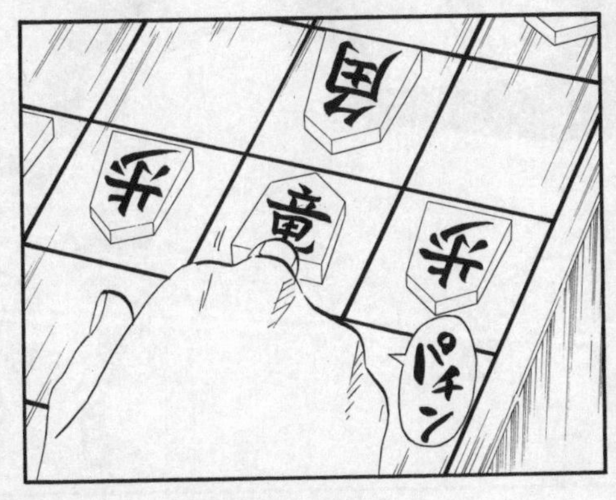
竜
パチン

お前も時が来りゃ分かるさ

!!

!

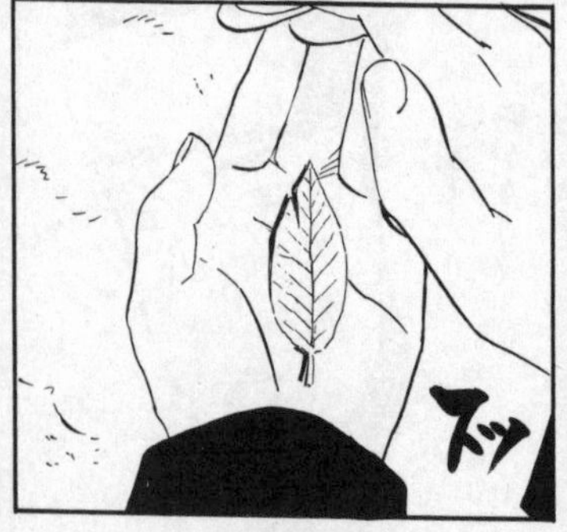
スッ

うぬーーー

もう切れ目が入ったか…
こりゃ案外早いかもな
イチャイチャパラダイス
イチャイ

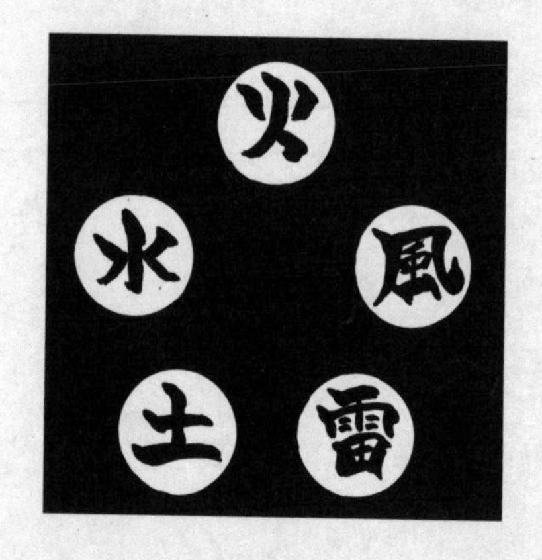
火
風
雷
土
水

317：悪夢の始まり!!

ザザザ

こいつが"三尾"っすか…?
強そうですね…
何かでかいカメみたいっすね…
ここはデイダラ先輩にお任せします

トビ…お前晴れて"暁"のメンバーになったんだろ…
お前がやれ!…うん

!
そんなァ…

うわぁ!!
ザバン

317：悪夢の始まり!!

うわあああー来たー!!

水系の奴なら鬼鮫さんに任せた方が良かったんじゃないっスかァー!
人選ミスでしょーコレー!

情けねェーな…うん
うわぁ〜〜〜〜〜!!

ドパン
ヒュ〜ン
ドワッ
うわっ!
スウッ
喝

ドドドドドド

座

どうだ？
“九尾”のチャクラは上手くコントロール出来てるか？
テンゾウ

今のところは問題なしです
ってゆーか 今はテンゾウじゃなくてヤマトでお願いします

ハイハイ

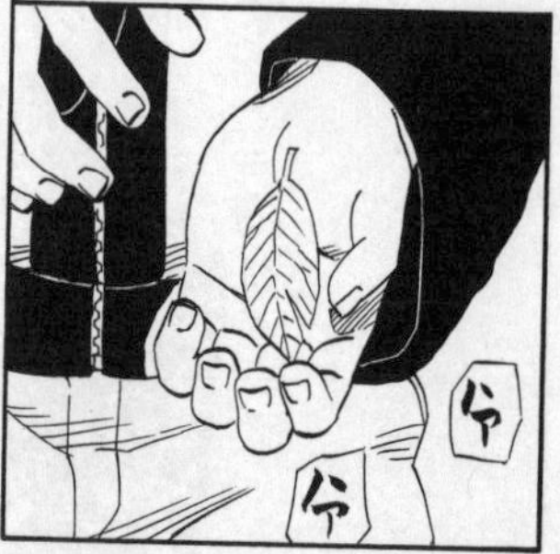

やったー！
かなり切れたってばよー！

チィ！くそッ！
オレの方はまだ全然だってのに

へへ～ん オレはお前らとは出来が違うんだよ！
だからお前はオレだってばよ

やったー！

へへへ…

ちくしょう…やるなあそこのオレ

！
イチャイチャ

あのさ！あのさ！カカシ先生に聞きたいことあんだけど

木ノ葉で〝風〟の〝性質変化〟持ってるの誰かいねーの？
…コツでも聞くのか？
うん！

…まいるっちゃいるけどね
今頃将棋でも指してるかな…
王手

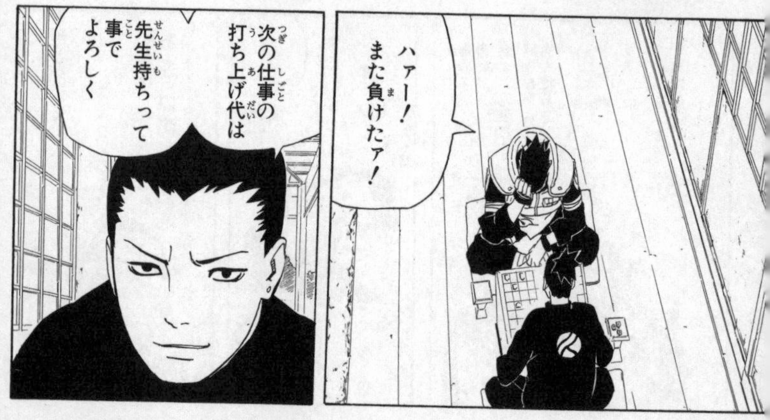
ハァー！また負けたァ！
次の仕事の打ち上げ代は先生持ちって事でよろしく

ハイよ…
アスマ先生ー!

オーイ!
タッ

!?

何だ
ナルトじゃ
ねーか
何か用か?

実は
ちっと
聞きてー事が
あんだってばよ

コン

"風"の
"性質変化"の
コツねェ…
そ!

お前がチャクラの
"性質変化"の修業
してんのか?
おう!

ありゃ
センスが無いと
ダメだぜ
お前
大丈夫なの
か?
だから
アスマ先生に
コツ聞きに来たん
だってばよ

…ナルトが"風"の
チャクラ性質とは
な…
こりゃ
驚いた

さっそく
頼むってばよ!

……

そうだな…
今度のアスマ班の任務打ち上げの焼肉代を立て替えてくれりゃ考えてみるが… どうだ?
あ!汚ねー!

んー…

しょうがねー修業のためだってばよ!
よし!交渉成立だ

ゴソゴソ

スッ…

!

これがオレのチャクラ刀だ
ブウウウン
この刀は持ち主のチャクラ性質を吸収する特別な金属で出来てる

持ってみろ
スッ
………

お前もチャクラを刀に流し込んでみろ
オッス

む！
グッ

ブウウウン

なんか…アスマ先生とはチャクラの出方が違うってばよ

いいか
〝風〟の〝性質変化〟は
チャクラを二つに
分割して
擦り合わせる
イメージだ

そして
二つのチャクラを
互いに薄く研ぐような
感じで練り込め

…薄く研ぐような
感じかァ…

………

そうだ
コツは より薄く
鋭くだ

あのさ…
あのさ…
ちょっと
思ったんだ
けど…
何だ?

忍具には
切るもんが
端からあんのに
この〝風〟の
〝性質変化〟に
意味あんのかな?

こんな事すんなら初めから切れる武器で切った方が早いんじゃないの？
それにコレとか…切れる武器に切れるチャクラ流して意味あんの？

…分かった
ならオレとお前でこのチャクラ刀を木に向かって同時に投げてみるぞ

……
何で？

いいから ホラ 行くぞ

コン

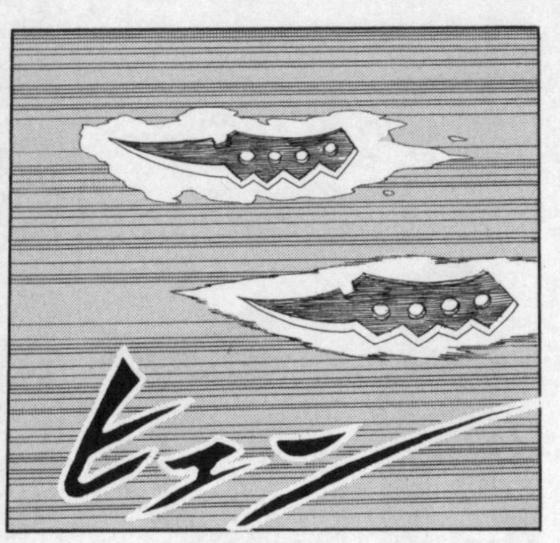
ヒュン

ガッ
ズカ
……
…す…
すげー…

木だけじゃなくて…
後ろの硬てー石にまで…
あんなにめり込んで刺さってる

危ないんで今のは抑えたが本気ならあの石も貫通してる

え!?

同じレベルの忍同士が刃物でガチンコになった場合刃物の切れ味で勝負が決まる

〝風〟の〝性質変化〟は近・中距離戦において一番の攻撃力を持つ

なかなかいないんだぞ…〝風〟のタイプは

他に聞きたいことがあったらいつでも来い
ただし焼肉代は頂くけどな

オッス！
サンキューだってばよ！
ドン

ボン

何だ影分身かよ

ナルトの奴…ウチの班にゃチョウジがいるって事忘れてんな
ひでーな…

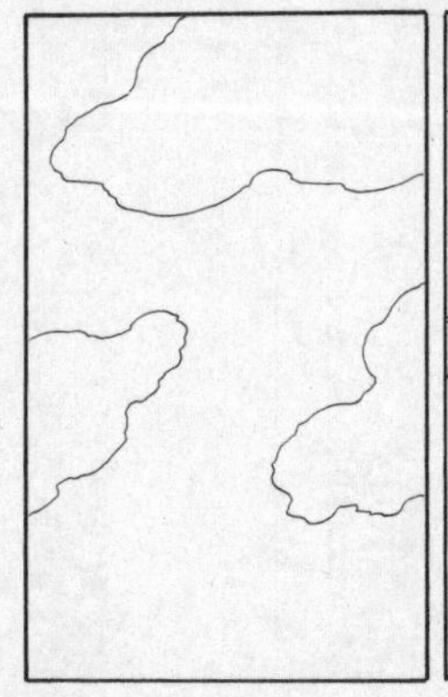

ピクン…

なるほど
そうだったのか！
よーしィ！
どうやら アスマから
コツが聞けたようだな
さっそく影分身の特性を
上手く活用してるじゃないか
ナルトの奴

そうか…
あの地陸までも…

自分はちょうど巡警に出ていて…
帰ってきた時にはもう…

おそらく火の国で"人柱力"のいそうな場所を
しらみつぶしにしているのでしょう…
ついに来ましたね

………

火の国から逃がすな
新編成した二十小隊に
ただちに連絡しろ

ズカ

318：順調なる修業

よーし!
ここら辺りで
経験値を蓄積
しておくぞ
修業を頭の中で
反芻しながら
影分身を解け
イチャイチャ
パラダイス

………!

オッス!

ボボボボン

フー……

座
ドゥー

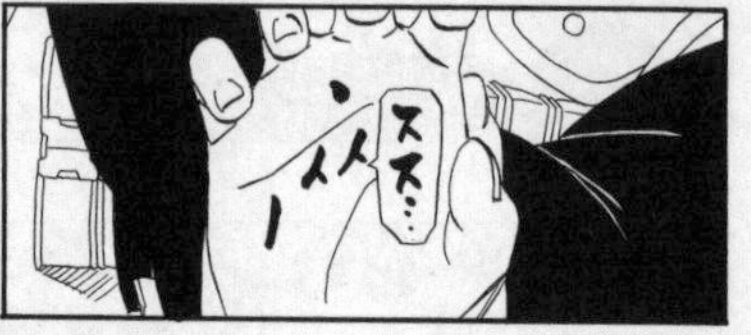
スス…

ふぅー…

……

……

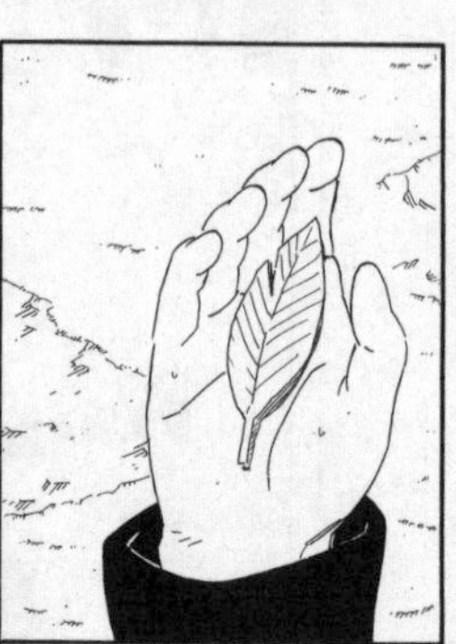

……

いける
もうすぐやれるってばよ…

ブッ
グラッ…

トン
ズッ

経験値と一緒に…
精神的疲労も蓄積してしまうのが難点だな

ザザーン

やった──!!

デイダラさん!
見ました
オレの術う!?
こいつ
イチコロですよ!
"暁"のメンバーに
なっていきなり
こんな大役を
任されるのも
うなずけるって
もんでしょう!
オレって
やるもんでしょう!?

………
いや…
オイラの起爆粘土が
アートしただけだろ

オイラの芸術の
お陰だろーが
うん!

手を貸してやったのも忘れて一人で盛り上がってんじゃねーよ！
〝暁〟のメンバーなら口数は少なくもっとクールに振る舞え
要するにクール＝アートだ

いいかアートってのはなクールな感情からかもしだされる情熱的な一瞬の…
先輩の方こそ口数多いっすね
ハハハ…

……
ギロリ

って冗談…
ボーン
うぎゃあああああ！

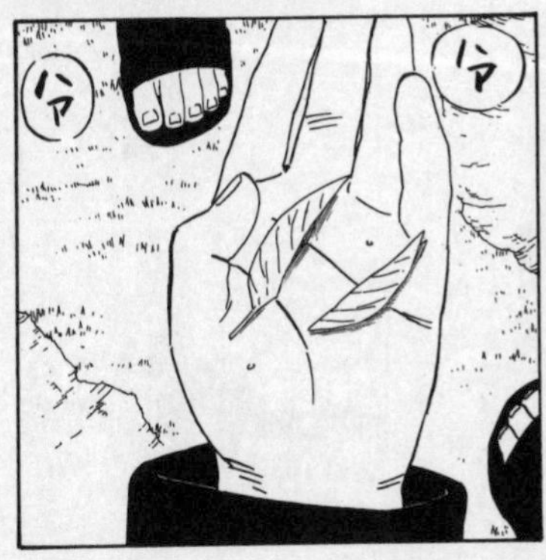
ハァ
ハァ

やったー―!!

出来たってばよ!
やっぱオレってばスッゲーのか!?

この調子であっちゅー間に新術マスターかァ!?
イチャイチャパラダイス

いや…この修業方法だから早いの
オレのすごいアイディアのお陰だから

ボボボン

んなことより
さっそく
次の修業を頼…

…ま！ナルト
お前だから
出来るんだ
けどな
ストン

ヤマト
ついでに少し
休憩にしよう

ドドドド

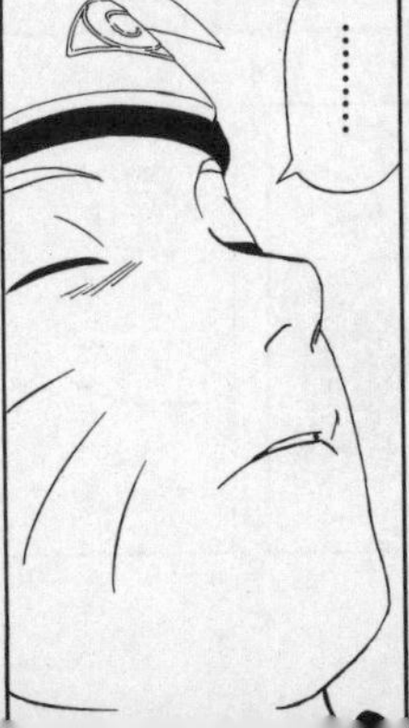
………

気が付いたか

アレ…
オレってばまた…
ムクッ

この修業方法は疲れも溜まりやすいからな…
もう少し休んでから修業の続きを始めるぞ

次のステップだ

次は何すんの？

スッ

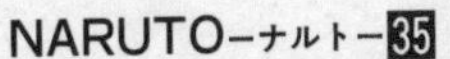

ドドドド
今度は滝を切る
滝を!?

滝に手を当てて"風"のチャクラを思いっきりぶつけて切るんだ
それには瞬時に多量の"性質変化"を起こす必要がある

この段階がクリア出来れば
とりあえず実戦で使えるからな

……

それが出来りゃ
オレもまず一つの"性質変化"は出来たってことか…

……
ニコッ

あの不器用なナルトがここまで早く〝性質変化〟を起こせるようになるとは思ってもみなかった…
この修業法大正解だったな…

休憩終わり！さっさと修業再開だってばよ！
ズリ…

多重影分身の術!!
ドドドドドド

ザザザザ

いいか トビ
図に乗んじゃ
ねーぞ！うん！

〝三尾〟は
〝人柱力〟じゃ
なかったぶん
弱かっただけだ
力をコントロールする
頭が無かったからな

………

…おいトビ
そこまでクールに
口数減らすことは
ねーよ
ちゃんと
返事くらい…

スー…
スー…スー…

ギロリ
……

ボウ
うぎゃあああっ!!
てめえにゃあ
ちょーどいい目覚ましだ
このヤロー!うん!!

ザッ
ザッ

次はお前が持て

おいおいおい
金金言ってんのはてめーだろ最後までてめーが運べ

………

何だよォそのめんどくせー目はよォ!?

お前はいつか必ずオレが殺してやる

だからそれをオレに言うかよ…角都

話はここまでだ
何か質問のある者はいるか？

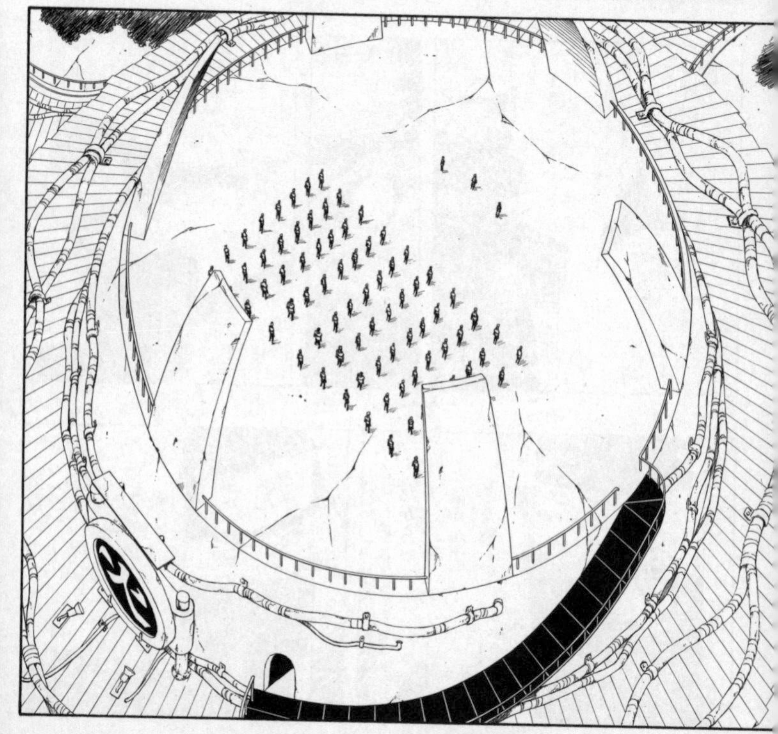

ズッ
何だ？

あそこには元〝守護忍十二士〟の地陸がいるはずです
彼はどうなったんです？

……
地陸様はそやつらの手にかかり
死にました

……！

あの地陸が…
馬鹿な…

………

奴らの目的も知りたいがかなりの手練だ
身柄の拘束が不可能な場合は抹殺しろ

火の国から逃がすな
必ず見付け出せ
行け！

散!!

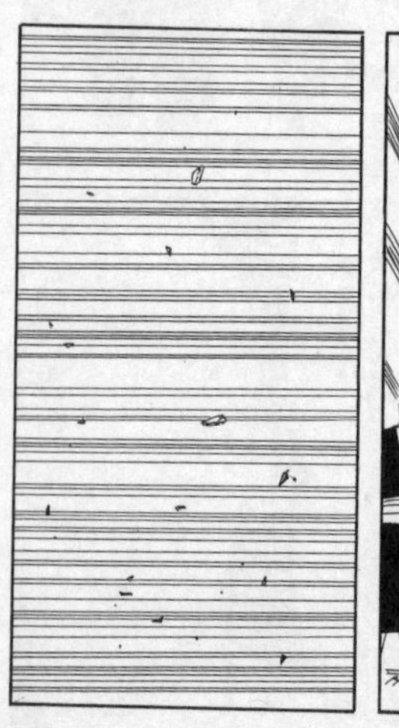

ザッ

ザッ

ザッ

ザッ

さて
じゃあオレたちは火ノ寺からあたるぞ

NARUTO -ナルト- オリキャラ優秀作発表

今回のNARUTOオリキャラ最優秀作は、(東京都 里さん)に決定!!
里さんには岸本が描いたイラストの複写にサインを入れてプレゼントします。楽しみに待っててね！
というわけで、引き続きオリキャラ募集中なので、どしどし送って下さいね。待ってます！
※募集は終了いたしました。

宛て先は
〒119—0163
東京都神田郵便局 私書箱66号
集英社ＪＣ
〝ナルトオリキャラ係〟まで！

※ただし送るのはハガキだけに限ります。封書じゃダメだよ㊜

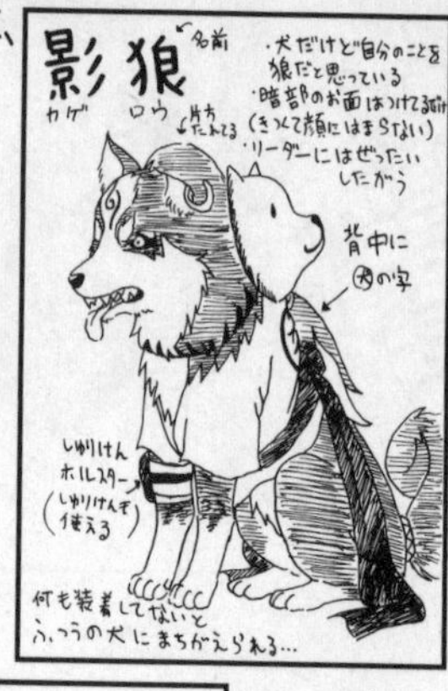

影狼
名前
カゲロウ
・犬だけど自分のことを狼だと思っている
・暗部のお面はつけてるけど(きつくて顔にはまらない)
・リーダーにはぜったいしたがう
片方たれてる
背中に㊅の字
しゅりけんホルスター(しゅりけんを使える)
何も装着してないとふつうの犬にまちがえられる…

◀岸本がイラスト化したのがこれだ!!【影狼】

○見た感じ、すごくカッコイイと思って選びました。人ばかりじゃなく、たまには動物もいいですね。

☆なお、デザインはオリジナルに限ります。そしてキャラは身体全体とキャラの名前を描いて下さい。
○応募されました文章、イラスト等は、一定期間保管されたあと廃棄されます。保存しておきたい場合は、あらかじめコピーをとってからご応募下さい。また、掲載時に、名前や住所等を秘匿したい場合には、その旨を明記して下さい。ご応募いただきました文論の著作権は、集英社に帰属します。

319
ナンバー
つき動かすもの
うご
MARUTO

……

…誰かがやらなきゃな…

…?

行くぞ

ドドドドドド

ハッ!!
ザザザザ
バシャ
……………
くっそー…!
水がちょいハネる程度か…
!
カカシせんせー!!

ドドドドド
これじゃ影分身の数が少なすぎんじゃねーの?

大量のチャクラを"風"に"性質変化"させなきゃ滝は切れない
人数が多すぎれば一人一人のチャクラが分散しちまう
それに 何よりその滝の幅じゃ十人並ぶのがやっとだ

だったらちっとぐらいうまくやるコツ教えてくれってばよ!

作った"風"のチャクラを体内に溜める時間が短すぎる
もっと時間をかけて丁寧にやれ

でもちんたらやってたら実戦で役に立たねーじゃん!

今は修業中だ 実戦の事まで考えなくていい
慣れりゃ速くなる

いいか
〝性質変化〟は
本来何年もかかる
修業だ
葉を切るのだって
ホントなら
半年はかかる

それを
たった数時間で
クリアしたことを
考えりゃ
焦る必要はないよ
予想より
何倍も早く
進んでる

天才肌の
サスケでさえ
千鳥を教えた時
〝雷〟の〝性質変化〟には
かなりの日数が
かかった

ドラャ

オレはその
サスケに
追いつかなきゃ
ならねーんだ
ぞ!!

……

……
座

ドリ
…ったく

分(わ)かりました
ヒクッ

うわぁぁああ!!
グラグラ

ドバドア
ドドドドドドド
パー
ススススズズズズ
ズズズズ

ドドドドドドドドドドドドド
……
さすがにきついか?
いえ…まったく…ハアハア…そんな…全然…ゲホッゲホッ平気……ゲホッ
きついんだな…

これで文句無いだろ?
へへ…
多重影分身の術!!

愛の
人生よ

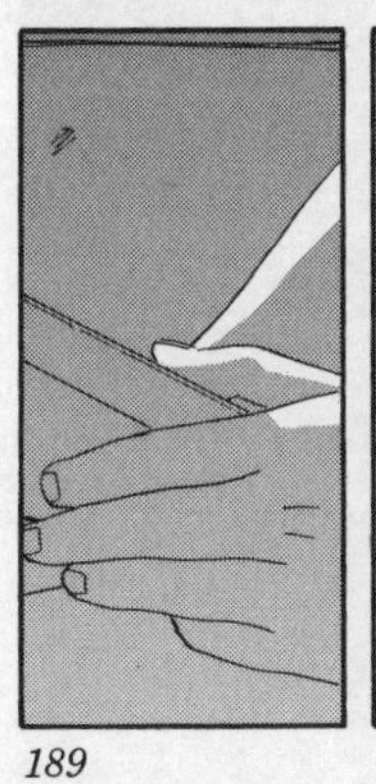

流れ星か…

ドッ‥

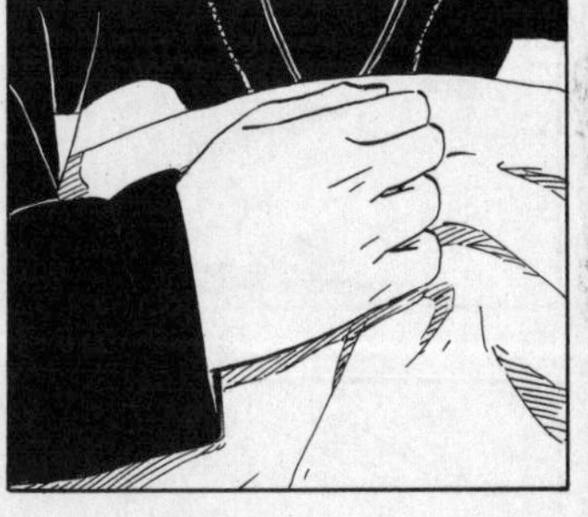

…サスケ…

ドッ
ムクッ

パッ

ズツ…

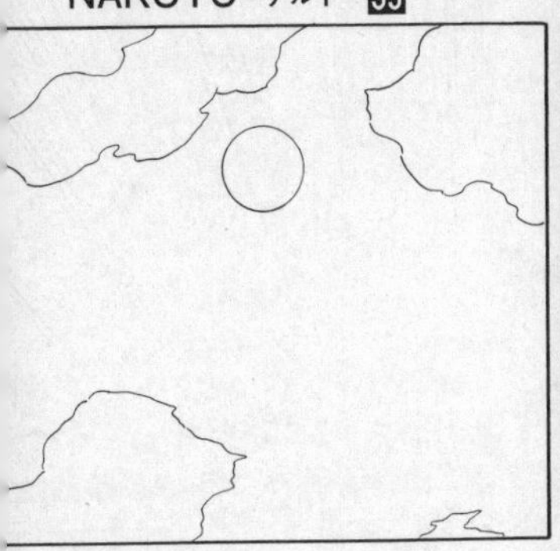

多重影分身の術!!

ハァ
ハァ

キッ

いっくぞォー!!

ハア!!

よっしゃー‼
…この修業なかなかのもんですね
あのナルトがこんなに早く…

いや…
この修業方法のお陰ばかりじゃないよ
……？
……
サスケがそうさせるんだ

「秘伝・臨の書」「秘伝・兵の書」に続く
待望のオフィシャル本第3弾!!
秘伝・
闘の書
キャラクターオフィシャルデータBOOK
岸本斉史
NARUTO
-ナルト-
JUMP COMICS

忍の道に"臨む"兵"より継がれし闘いの秘伝!!

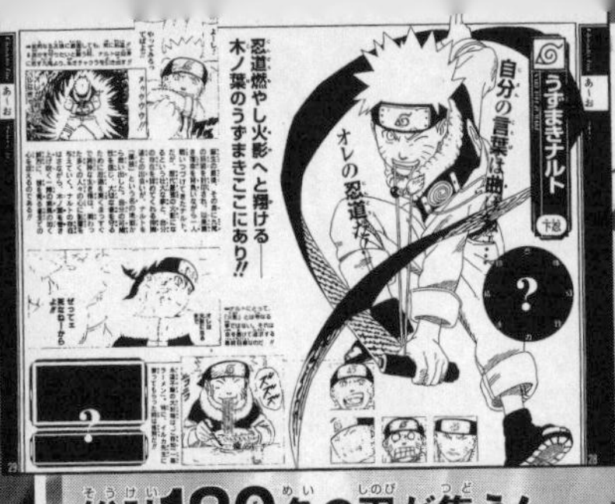

忍の章

総計120名の忍が集う!
各キャラクターのプロフィールを大公開!!

レーダー表示でキャラの能力が一目瞭然! 任務経験数や趣味なども一挙公開!! 数多の忍がその真の姿を表す!!

術の章

封じられし108の秘術を開封!!
忍術の極意がここにある!!

基本忍術から超高等忍術まで、鮮烈極まる数々の術を徹底分析!! アイコン表示で系統や特性も明解にッ!!

岸本斉史先生にインタビュー・Q&Aを敢行!
さらにコミックス未収録4コマも掲載!!

創の章

岸本先生、完全協力!! 知られざる創作秘話が、ついに明かされるッ!!

豪華絢爛! 充実の企画陣!!

- 「NARUTO-ナルト-」の世界を解き明かす! 忍博聞録
- 読者投票の結果大発表!!
  名シーングランプリ
  隊長になってもらうなら　など
- 美麗! 4色イラストギャラリー
- ナルティメット人物相関図
- 「NARUTO-ナルト-」葉語集

など

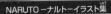

■ジャンプ・コミックス

NARUTO -ナルト-

35新たなる二人組!!

2006年11月7日 第1刷発行
2015年4月21日 第34刷発行

著者 岸本斉史

編集 株式会社 ホーム社
東京都千代田区神田神保町3丁目29番 共同ビル
〒101-0051
電話 東京 03(5211)2651

発行人 鈴木晴彦

発行所 株式会社 集英社
東京都千代田区一ツ橋2丁目5番10号
〒101-8050
03(3230)6233(編集部)
電話 東京 03(3230)6191(販売部)
03(3230)6076(読者係)
Printed in Japan

印刷所 共同印刷株式会社

ISBN4-08-874273-7 C9979